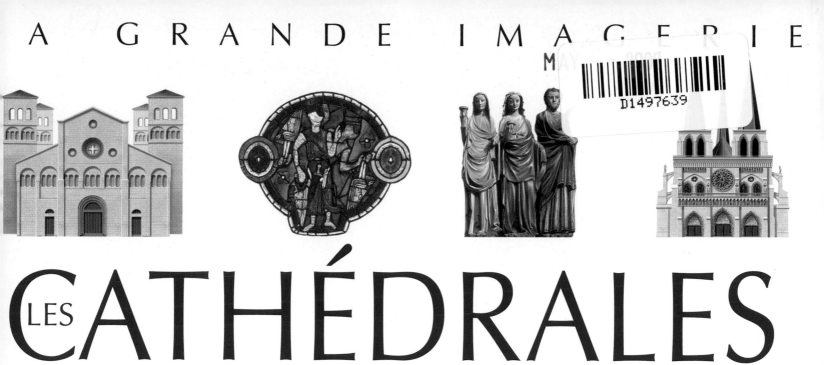

LES CATHÉDRALES

Auteur
Cathy FRANCO

Mise en page et illustrations
Jacques DAYAN

Collection créée et conçue par
Émilie BEAUMONT

FLEURUS

GROUPE FLEURUS, 15-27, rue Moussorgski 75018 PARIS
www.editionsfleurus.com

LES ORIGINES

La cathédrale est l'église de l'évêque, le représentant le plus important du clergé après le pape. Elle abrite la cathèdre, nom donné au siège de l'évêque. Églises et cathédrales voient le jour sous le règne de l'empereur romain Constantin (en 313 ap. J.-C.) qui autorise les chrétiens à célébrer leur culte au grand jour. Les premières cathédrales ont des murs intérieurs et des sols garnis de mosaïques et leurs plafonds sont couverts de feuilles d'or. L'extérieur est dépouillé.

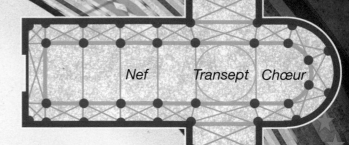

Nef   Transept Chœur

Le choix chrétien

Églises et cathédrales adoptent un plan en forme de croix qui symbolise la crucifixion du Christ. Le transept évoque les bras de la croix. La messe est célébrée dans le chœur. La nef, divisée en vaisseaux par des rangées de colonnes, accueille les fidèles. Très tôt, églises et cathédrales sont tournées vers l'Orient (vers Jérusalem).

La cathédrale double

En France, dans le nord de l'Allemagne et de l'Italie, on a retrouvé les traces de cathédrales doubles. Construites dès le 5e siècle, elles regroupent deux églises parallèles. L'une est destinée aux personnes que l'on instruit pour recevoir le baptême (catéchumènes), l'autre est réservée aux baptisés. Lieu de passage obligé entre les deux églises, le baptistère abrite un bassin dans lequel est baptisé le catéchumène à la fin de son instruction.

L'âge roman

L'architecture romane voit le jour dans les monastères vers 950 et gagne peu à peu les églises et les cathédrales. Elle emprunte beaucoup aux bâtisseurs de l'Antiquité romaine, d'où son nom (roman provient de romain).

Voûtes romanes

L'architecture romane réintroduit la technique antique romaine de la voûte en pierre, arrondie. La plupart des cathédrales adoptent cette solution à partir du 11e siècle car leurs plafonds de bois prennent souvent feu.

Pour supporter la lourde voûte de pierre, il faut des murs épais et solides. On ne peut y percer de grandes ouvertures, ni les construire trop hauts de peur qu'ils ne s'écartent et ne s'effondrent. Divers procédés permettent alors de contenir la poussée de la voûte tels que les collatéraux (1) et les tribunes (2). Des contreforts (3) épaulent aussi l'édifice.

Le décor roman

Des fresques aux couleurs chatoyantes recouvrent les murs et les voûtes (comme sur les dessins de cette page). Des sculptures peintes de vives couleurs ornent les chapiteaux qui coiffent les piliers (image centrale) et ornent les façades. Comme la plupart des fidèles ne savent pas lire, peintures et sculptures forment comme un gigantesque livre d'images qui retrace des passages de la Bible, les enseignements de l'Église ou des événements historiques.

7

DES CATHÉDRALES ROMANES

La cathédrale d'Angoulême, en France

Commencée en 1110, inaugurée en 1128, elle est l'œuvre de l'évêque Girard II. Très instruit, artiste de premier plan, il participa activement au projet de construction et dirigea lui-même les travaux. La cathédrale possède la plus riche des façades sculptées romanes. Son incroyable nef est coiffée de trois coupoles monumentales de 10 m de diamètre.

Les nefs à coupoles (ci-dessus) permettent de couvrir de vastes espaces. Cette manière de voûter les églises se retrouve dans de nombreux édifices romans du sud-ouest de la France.

La façade de la cathédrale d'Angoulême a conservé le décor sculpté qu'elle avait lors de son édification. Seule la partie la plus élevée a connu diverses modifications. Les clochetons en « pomme de pin », typiques de la région, ont par exemple été ajoutés par la suite.

La cathédrale de Spire, en Allemagne

L'empereur Conrad II, à l'origine de sa construction, voulait en faire la plus grande église de son temps. Commencée en 1030, inaugurée en 1061, elle reste à ce jour la plus grande cathédrale romane du monde. Sa longueur totale atteint 135 m, un record pour l'époque. Des quantités énormes de terre ont été déblayées pour la fondation de la crypte, l'une des plus spacieuses d'Occident. Toute de grès rouge, la cathédrale fut pendant 300 ans le lieu de sépulture des empereurs allemands.

Les quatre tours très élancées sont typiques de l'architecture romane allemande.

La cathédrale de Pise, en Italie

Construit entre 1064 et 1118, ce vaste édifice est un chef-d'œuvre de l'art roman italien. L'intérieur comporte une nef immense divisée en cinq espaces (vaisseaux).

La façade est parcourue d'harmonieuses galeries. D'habiles jeux de couleurs, dus à l'utilisation de marbres vert ou crème finement taillés, lui donnent un relief particulier.

La célèbre tour penchée n'est autre que le clocher de la cathédrale. Ce campanile, qui abrite sept cloches, s'inclina avant même d'être terminé à cause de la fragilité des fondations. Il mesure 58 m de haut et compte 293 marches.

L'ÂGE D'OR DES CATHÉDRALES

C'est la période durant laquelle ont été construites la plupart des grandes cathédrales gothiques (entre le 12e et le 14e siècle). Elle est due à un contexte favorable : les récoltes sont bonnes, le pays prospère, la population augmente. Partie de France, où elle triomphe, la mode gothique gagne toute l'Europe, avant de s'essouffler, au 16e siècle.

L'élan gothique

En 1136, l'abbé Suger entreprend la reconstruction de l'abbatiale de Saint-Denis, près de Paris, où sont enterrés les rois de France. L'édifice, en mauvais état, est devenu trop petit et Suger le trouve trop sombre. « Qu'on démolisse le chœur et qu'on le refasse avec de grandes fenêtres ! », ordonne-t-il. C'est grâce à un procédé architectural nouveau, la voûte sur croisée d'ogives (voir p. 13) que l'on répond à la demande de l'abbé Suger. La cathédrale de Saint-Denis donne naissance au style gothique.

La mode gothique

Entre 1140 et 1350, 80 cathédrales gothiques sont élevées dans le seul royaume de France. Dans la ville du Mans, la cathédrale, commencée dans le style roman, est continuée dans le style gothique, à la mode (ci-dessus).

Au Moyen Âge, la cathédrale est un lieu de vie très animé. On y tient réunion, on vient s'y reposer. Les paysans, suivis de leurs bêtes, y pique-niquent quand ils viennent à la ville vendre leurs produits. Les mendiants y trouvent refuge. Les médecins y consultent leurs malades. Sur le parvis, devant la cathédrale, sont proposées des pièces de théâtre aux sujets religieux, des démonstrations de jonglerie...

UNE CATHÉDRALE GOTHIQUE

Élancée, inondée de lumière, elle doit être suffisamment vaste pour accueillir les gens de la ville et des environs. Les plus grandes peuvent recevoir 10 000 fidèles.

Les vitraux

Ils répandent dans la cathédrale une lumière douce et colorée. Ce sont des morceaux de verre de couleur tenus par un maillage de plomb ou de pierre, comme dans les immenses rosaces qui ornent les façades au-dessus des portails. À l'époque, ces rosaces, en forme de cercle, sont appelées des roues.

Les plus grandes rosaces peuvent atteindre 14 mètres de diamètre.

L'extérieur

La façade principale (A) déploie un abondant décor sculpté, haut en couleur. Surmontés d'une rosace (B), ses portails juxtaposés (C) permettent l'accès aux fidèles, nombreux les jours de grandes cérémonies. Les deux tours sont couronnées de flèches (D), mais beaucoup furent détruites par la foudre qu'elles attiraient. D'autres, trop fragiles, furent victimes du vent. Les plus hautes culminent à 142 m.

La statuaire gothique

Comme à l'époque romane, le décor sculpté délivre un enseignement religieux à ceux qui ne savent pas lire. Il décrit aussi les saisons, les travaux des champs, l'histoire des rois... Alors que les statues romanes faisaient la part belle au diable et aux châtiments menaçant les fidèles (à gauche), les statues gothiques se veulent plus rassurantes, comme le célèbre ange au sourire de la cathédrale de Reims, à droite.

Une architecture nouvelle

L'architecture gothique utilise des éléments du roman, l'arc brisé (1) et intègre la voûte d'ogives (2) qui s'appuie sur l'entrecroisement de deux arcs. Le poids de la voûte n'est plus réparti sur les murs mais sur des piliers (3). Libérés de leur rôle porteur, les murs s'élèvent et sont percés de baies dans lesquelles viennent s'insérer les vitraux. Pour construire les murs plus hauts, on les épaule avec des arcs-boutants (4).

De mystérieux labyrinthes

À l'époque, on les trouve sur le sol de la plupart des cathédrales gothiques mais seuls quelques-uns subsistent aujourd'hui, comme celui d'Amiens, représenté ci-dessous. Il semble que leur parcours symbolisait le pèlerinage en Terre sainte, à Jérusalem. Les fidèles s'y engageaient, dit-on, à genoux, en priant.

Au Moyen Âge, le terme « gothique » n'existe pas. On parle de « style français » pour qualifier l'architecture et le décor foisonnant des nouvelles cathédrales. Les Italiens de la Renaissance le trouveront si laid qu'ils le qualifieront de gothique en référence aux Goths, des barbares qui envahirent l'Italie au 5e siècle. Depuis, le terme est resté, même si les Goths n'ont rien à voir avec l'art gothique.

CONSTRUIRE UNE CATHÉDRALE

Ce projet ambitieux exige énormément d'argent. Le plus souvent, l'évêque décide de la construction, il est secondé dans ses tâches par le chapitre, l'assemblée des chanoines (prêtres attachés à la cathédrale). C'est le chapitre qui collecte l'argent nécessaire aux travaux. L'édification d'une cathédrale peut être si longue qu'on voit souvent se succéder plusieurs évêques et architectes !

Comment trouver l'argent ?

Pour financer les travaux, l'évêque verse une partie des revenus du diocèse (territoire placé sous son autorité) qui sont essentiellement des impôts et dons. Chacun est aussi invité à participer, du roi au simple paysan. Dans les échoppes de la ville, des troncs (à droite) sont installés. À la veille de mourir, nombreux sont les fidèles les plus riches qui, pour mériter le paradis, lèguent une partie de leur fortune pour bâtir la cathédrale.

Beaucoup de vitraux sont payés par les différents corps de métier qui, en échange, s'y font représenter. Ici, les boulangers.

Les processions de reliques

Au Moyen Âge, de nombreuses reliques (ossements d'un saint ou objets lui ayant appartenu) sont exposées dans les églises. Elles attirent de nombreux pèlerins, venus les toucher pour implorer un pardon, une guérison ou faire un vœu. Pour financer la construction d'une cathédrale, des processions de reliques sont organisées. Ainsi, moyennant une petite contribution, les pèlerins sont autorisés à toucher la châsse contenant la relique sacrée.

Châsse

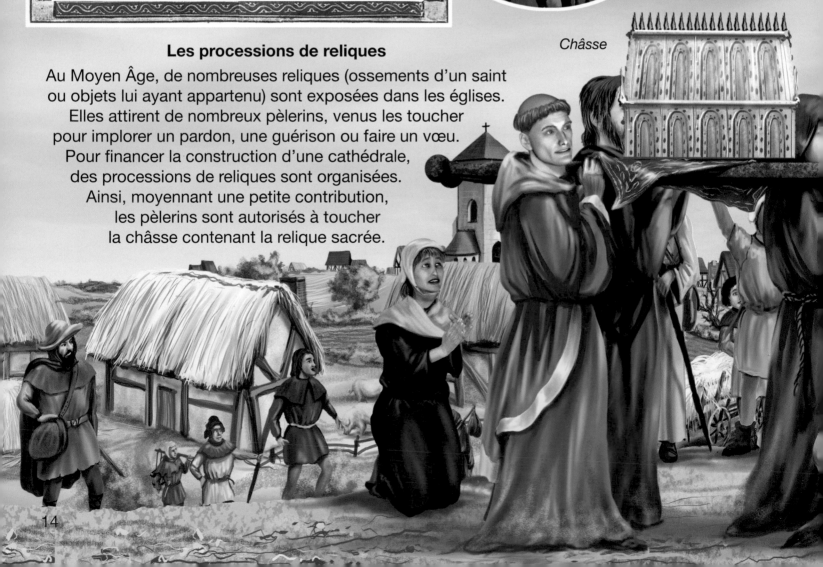

Le rôle de la fabrique

La fabrique est un petit groupe d'experts, nommés par le chapitre, qui est chargé de gérer l'argent disponible pour la construction de la cathédrale. Sur des livres de compte figurent tous les dons, du plus modeste au plus important, ainsi que la moindre dépense effectuée pour le chantier. Si les fonds viennent à manquer, les travaux sont suspendus.

Ci-dessus, dessin d'architecture d'époque, exécuté pour la cathédrale de Strasbourg.

Le choix de l'architecte

Une fois le projet lancé, l'évêque et le chapitre doivent trouver un maître d'œuvre (l'architecte). Souvent ancien tailleur de pierre ou charpentier, c'est aussi quelqu'un de très instruit qui connaît la religion, les arts, les mathématiques. Plusieurs hommes sont mis en concurrence.

Chaque architecte présente une maquette réduite de l'édifice (en cire, en bois ou en plâtre) et plusieurs dessins. Le maître d'œuvre retenu s'engage à ne travailler sur aucun autre chantier. Payé annuellement par le chapitre, il est aussi nourri, logé et habillé.

Le choix du site

La cathédrale gothique est souvent construite à l'emplacement d'une église plus ancienne, jugée trop petite. Il faut démolir des maisons et des boutiques pour permettre sa réalisation. Les propriétaires sont dédommagés mais, parfois, certains refusent de quitter les lieux. Il faut alors revoir les plans.

À Lausanne, en Suisse, une rue traversait le site de construction de la cathédrale. Une maison empêchait la déviation de cette rue. Qu'à cela ne tienne ! On intégra la rue à l'édifice : un passage routier traversait jusqu'au 16e siècle la cathédrale de part en part sur sa largeur !

Dans les carrières

La construction d'une cathédrale exige une fantastique quantité de pierres. Souvent, on réutilise celles de l'ancienne église que l'on a démolie. Mais cela ne suffit pas. Il faut acheter une carrière ou la louer (le propriétaire est alors payé pour chaque pierre extraite). Le calcaire est la pierre la plus exploitée. Les carriers travaillent dans des galeries souterraines ou à ciel ouvert (ci-dessous).

Les carrières se trouvent souvent à plus d'une centaine de kilomètres du chantier. Une équipe de tailleurs de pierre se rend sur place pour dégrossir les blocs et tailler divers éléments de maçonnerie. Cela allège le volume de la pierre et réduit le coût de son transport.

Du bois pour la cathédrale

Il faut plusieurs milliers d'arbres pour construire une cathédrale et, au Moyen Âge, beaucoup de forêts ont été défrichées pour cultiver la terre. Trouver du bois de qualité, en abondance, n'est pas chose facile. Les troncs réservés aux charpentes sont transportés tels quels, les autres arbres sont débités sur place selon les directives du maître charpentier. Des bûcherons, mais aussi des paysans, s'attellent à cette tâche.

Pour la charpente, il faut chercher de vieux chênes aux troncs solides.

Le transport des matériaux

Quand cela est possible, la pierre et le bois sont acheminés par voie d'eau le plus près possible du chantier (à gauche). Sinon, on utilise des charrettes, tirées le plus souvent par des bœufs.

À Laon, en France, les sculpteurs ont voulu rendre hommage aux bêtes de trait qui ont tiré les lourds chariots. Seize bœufs figurent au sommet des tours de la cathédrale.

UN GIGANTESQUE CHANTIER

Il faut souvent une centaine d'années pour édifier une cathédrale, parfois plus quand le financement n'est pas continu. La construction de la cathédrale de Tours se fit par exemple sur trois siècles ! Le chantier démarre en général par le chœur. De cette façon, l'évêque peut célébrer la messe avant même que ne soit entreprise la nef. Le gros œuvre du chantier rassemble plusieurs centaines d'ouvriers. Des fidèles et des pèlerins enthousiastes n'hésitent pas à proposer leur aide, s'attelant à de lourds chariots remplis de matériaux. Les journées de travail commencent au lever du soleil et s'achèvent au crépuscule. Le dimanche est jour de repos ainsi que les jours fériés. L'hiver, l'activité ralentit. Le travail de maçonnerie s'arrête à cause du gel.

Tandis que la cathédrale s'élève, les échafaudages (1) sont démontés pour être installés un peu plus haut à partir de poutres ancrées provisoirement dans les murs. Construits dans la maçonnerie, d'étroits escaliers en spirale (2) ainsi que de petits passages permettent d'y accéder. Des machines ingénieuses (3) sont utilisées pour hisser les matériaux les plus lourds. À l'époque, il n'existe pas de filets de protection pour les ouvriers qui travaillent à plusieurs dizaines de mètres de hauteur, ni de cordes pour s'attacher. Les chutes mortelles sont fréquentes.

Crypte

L'architecte est secondé par un assistant chargé de transmettre les directives aux ouvriers.

Des bâtisseurs itinérants

De nombreux artisans s'activent sur le chantier : maçons, tailleurs de pierre, sculpteurs, verriers, charpentiers... On les appelle des compagnons, c'est-à-dire des artisans confirmés qui ont été formés par un maître. Beaucoup sont itinérants. Ils se rendent de chantier en chantier à travers l'Europe, diffusant leurs techniques et leur savoir-faire. Ils sont logés en ville. Certains sont payés à la journée, d'autres à la semaine ou encore à la tâche (le tailleur de pierre est ainsi payé pour chaque pierre taillée). Les manouvriers, qui déblaient la terre pour les fondations et transportent les matériaux, sont recrutés sur place. Ils n'ont aucune qualification particulière.

Les loges

Adossées à la cathédrale (4), elles permettent aux ouvriers d'entreposer leurs outils et offrent à certains un lieu de travail chauffé en hiver. C'est aussi dans la loge, à l'abri des regards indiscrets, que se transmettent certains savoir-faire.

La crypte est une chapelle souterraine qui sert à abriter le tombeau ou les reliques d'un saint. La plupart des cathédrales gothiques sont bâties sur des cryptes déjà existantes, le plus souvent romanes.

Les fondations s'enfoncent jusqu'à 10 m en dessous du niveau du sol, soit aussi profondément qu'une station de métro ! Il faut autant de pierres pour les construire que pour l'édifice lui-même !

LES MÉTIERS

De nombreux corps de métier participent à l'édification d'une cathédrale, du montage des murs à la construction des cloches en passant par la confection des vitraux. Les métiers de la pierre et du bois sont les plus représentés. Parmi les tailleurs de pierre, on distingue ceux qui façonnent les blocs de pierre aux bonnes dimensions et ceux qui sculptent les morceaux plus élaborés et les statues.

Des marques sur la pierre

Chaque pierre taillée est gravée de plusieurs signes. Ils indiquent la place qu'elle occupera dans l'édifice, sa provenance, quel artisan l'a taillée et, sur certaines pierres, des signes facilitent même la tâche du maçon pour l'assemblage.

Le gâcheur

Il prépare le mortier (mélange de chaux, de sable et d'eau) avec lequel le maçon va sceller les pierres entre elles. Il travaille au plus près de l'édifice afin que le mélange puisse être transporté rapidement sur place et ne durcisse pas. Des femmes sont parfois employées à ce travail.

L'imagier

C'est ainsi qu'on appelle le sculpteur car il met la pierre en image. L'évêque et le chapitre décident des thèmes à représenter. Mais l'imagier peut prendre un peu de liberté dans la sculpture des personnages secondaires et des gargouilles (voir p. 24).

Pour réaliser une statue, l'imagier travaille d'après un dessin, parfois même une maquette en plâtre. Il prend des mesures à l'aide d'un compas (1) et délimite l'emplacement de la tête, des bras, des jambes. Puis il attaque la pierre avec un marteau pioche (2). Pour travailler les détails, il utilise la gradine (3) puis le ciseau (4) sur lesquels il frappe avec un maillet (5). Chaque sculpture est numérotée afin d'être placée au bon endroit dans l'édifice.

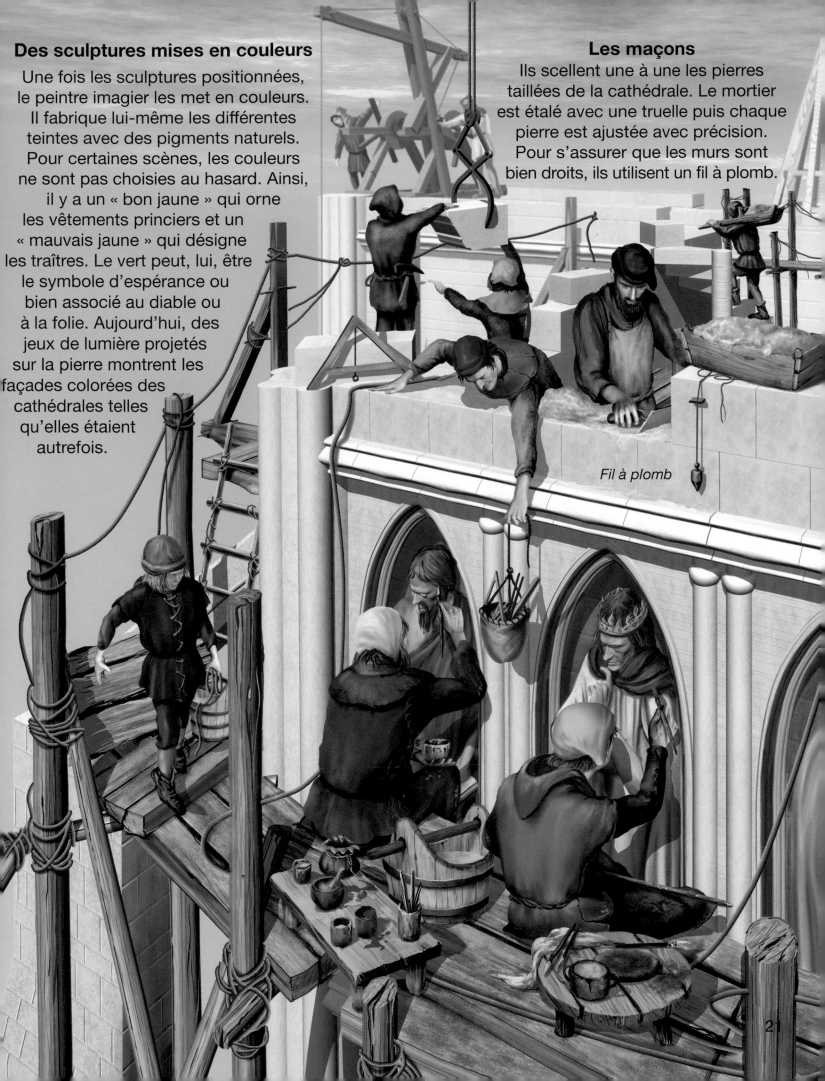

Des sculptures mises en couleurs

Une fois les sculptures positionnées, le peintre imagier les met en couleurs. Il fabrique lui-même les différentes teintes avec des pigments naturels. Pour certaines scènes, les couleurs ne sont pas choisies au hasard. Ainsi, il y a un « bon jaune » qui orne les vêtements princiers et un « mauvais jaune » qui désigne les traîtres. Le vert peut, lui, être le symbole d'espérance ou bien associé au diable ou à la folie. Aujourd'hui, des jeux de lumière projetés sur la pierre montrent les façades colorées des cathédrales telles qu'elles étaient autrefois.

Les maçons

Ils scellent une à une les pierres taillées de la cathédrale. Le mortier est étalé avec une truelle puis chaque pierre est ajustée avec précision. Pour s'assurer que les murs sont bien droits, ils utilisent un fil à plomb.

Fil à plomb

2

Les charpentiers

Ils construisent la charpente qui soutient le toit de la cathédrale mais aussi les échafaudages, les engins de levage, les loges pour les artisans. La charpente est surnommée « la forêt » tant l'immense enchevêtrement de poutres qui la compose est dense. Les fermes, structures triangulaires (1), sont d'abord assemblées au sol pour contrôler si chaque pièce s'emboîte correctement, puis elles sont démontées et hissées sur l'édifice, pièce par pièce. Les cintres de bois (2) sont réalisés d'après les plans du maître d'œuvre. Ces immenses armatures doivent pouvoir supporter le poids de la voûte et des arcs-boutants pendant que sèche le mortier. Elles sont ensuite retirées.

Le montage d'une voûte

Une fois le cintre construit et mis en place par les charpentiers, les maçons posent dessus les pierres taillées (3). La pose de la clef de voûte (4) est particulièrement délicate. À plusieurs dizaines de mètres au-dessus du vide, ils doivent caler cette énorme pierre (de 300 kg et plus d'un mètre de diamètre) entre les bras de la voûte pour « verrouiller » la construction.

Les engins de levage

L'écureuil (5) est une grande roue en bois. Actionnée par un ou deux hommes marchant à l'intérieur, elle permet de hisser de très lourdes charges. La chèvre (6) est un assemblage de deux ou trois poutres qui peut être installé sur un échafaudage. On l'utilise en tournant une manivelle. La grue (7), qui pivote sur elle-même, permet de monter des charges mais aussi de les déplacer horizontalement. Sa flèche dépasse 3 m de long. Griffes et louves (ci-dessous) permettent aux engins de levage de saisir les blocs de pierre.

La griffe (à gauche) est une tenaille mécanique qui saisit les blocs de pierre par les côtés pour ne pas abîmer les arêtes. La louve (à droite) est un assemblage en métal fixé sur la pierre qui permet de la déplacer.

23

Les gargouilles sont souvent sculptées en forme de monstres pour éloigner les mauvais esprits.

Couvreurs et plommiers

Une fois la charpente mise en place, les couvreurs coiffent la cathédrale d'ardoises, de tuiles ou de lourdes feuilles de plomb, réalisées par les plommiers. Ce sont les couvreurs qui mettent au point le réseau d'évacuation des eaux de pluie. Ils installent des gouttières en plomb et, à divers endroits de l'édifice, sont placées des gargouilles en pierre qui rejettent l'eau loin des murs.

Le forgeron

Il travaille sur le chantier dans une forge alimentée au bois. C'est lui qui fabrique, affûte et répare tous les outils des ouvriers. Il martèle les fers qui vont sous les sabots des bêtes de trait, réalise l'armature des grandes verrières et il prépare aussi les chaînages de fer qui seront scellés dans certains murs pour les renforcer.

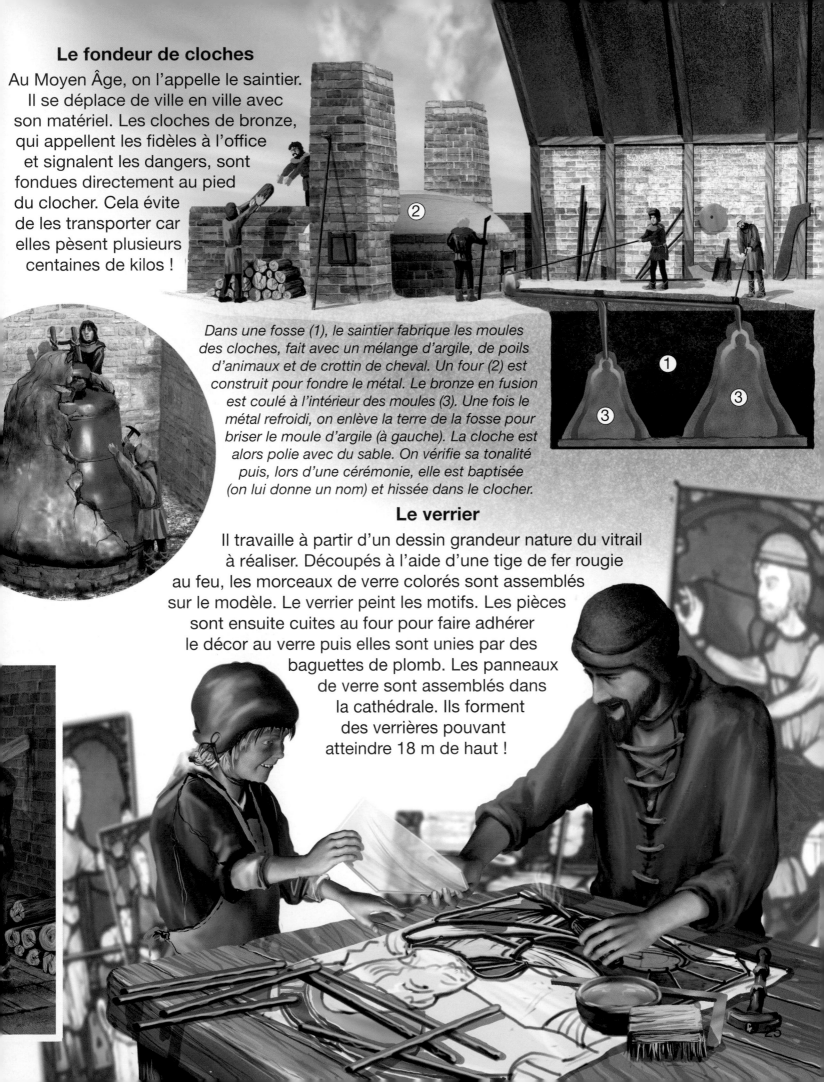

Le fondeur de cloches

Au Moyen Âge, on l'appelle le saintier. Il se déplace de ville en ville avec son matériel. Les cloches de bronze, qui appellent les fidèles à l'office et signalent les dangers, sont fondues directement au pied du clocher. Cela évite de les transporter car elles pèsent plusieurs centaines de kilos !

Dans une fosse (1), le saintier fabrique les moules des cloches, fait avec un mélange d'argile, de poils d'animaux et de crottin de cheval. Un four (2) est construit pour fondre le métal. Le bronze en fusion est coulé à l'intérieur des moules (3). Une fois le métal refroidi, on enlève la terre de la fosse pour briser le moule d'argile (à gauche). La cloche est alors polie avec du sable. On vérifie sa tonalité puis, lors d'une cérémonie, elle est baptisée (on lui donne un nom) et hissée dans le clocher.

Le verrier

Il travaille à partir d'un dessin grandeur nature du vitrail à réaliser. Découpés à l'aide d'une tige de fer rougie au feu, les morceaux de verre colorés sont assemblés sur le modèle. Le verrier peint les motifs. Les pièces sont ensuite cuites au four pour faire adhérer le décor au verre puis elles sont unies par des baguettes de plomb. Les panneaux de verre sont assemblés dans la cathédrale. Ils forment des verrières pouvant atteindre 18 m de haut !

HIER ET AUJOURD'HUI

En France, la guerre de Cent Ans (1337-1453) a mis fin aux grands chantiers gothiques. Dans le reste de l'Europe, les cathédrales se sont enrichies de divers styles. De nos jours, on construit encore des cathédrales. Celle de Washington (EU) a été bâtie au 20e siècle dans le style gothique, d'autres cathédrales se sont inscrites dans leur époque, comme celles d'Évry ou de Barcelone.

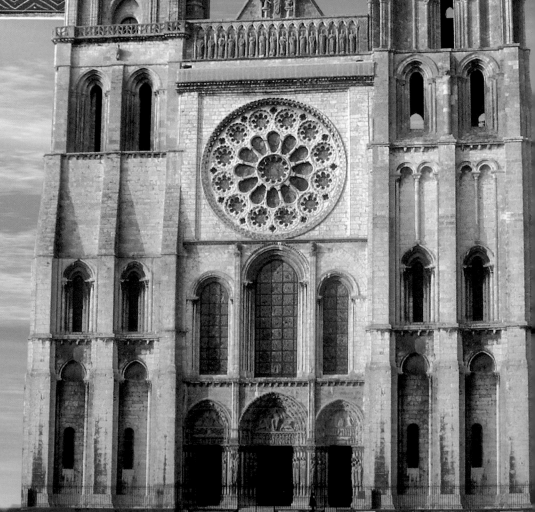

La tour sud (à droite) fut épargnée par l'incendie qui ravagea l'ancienne cathédrale romane en 1194. La tour nord (à gauche) était surmontée d'une flèche en bois. Elle fut détruite par la foudre en 1506 et reconstruite dans le style gothique flamboyant. Ce style se caractérise par une décoration très chargée. Les pierres sculptées prennent souvent la forme de flammes, d'où son nom.

La cathédrale de Chartres, en France

Inaugurée en 1260, elle fut construite pour l'essentiel en moins de 30 ans, un record pour l'époque. Sa voûte s'élevait à une hauteur jamais atteinte, 37 m. La cathédrale possède 4 000 statues magnifiques et la plus belle collection de vitraux au monde, dont la plupart datent de sa construction. La fabrication de leurs couleurs était tenue secrète et reste, pour certaines, un mystère pour les archéologues.

La cathédrale de Milan, en Italie

Commencée en 1396, terminée seulement en 1813 sur l'ordre de Napoléon, cet édifice aux dimensions colossales possède une ornementation sculptée impressionnante qui en fait l'une des plus belles œuvres du gothique flamboyant italien. Le marbre blanc dans lequel elle été construite met en valeur ses admirables proportions. On la surnomme le « hérisson de marbre » en raison de ses 35 aiguilles de pierre qui pointent vers le ciel.

La Sagrada Familia, en Espagne

Édifiée à Barcelone, c'est l'une des œuvres les plus insolites du début du 20ᵉ siècle. L'architecte, Antonio Gaudí, qui détestait les lignes droites, donna à l'édifice des formes étonnantes très inspirées de la nature. Il alla jusqu'à dormir dans l'enceinte de la cathédrale pour en suivre au plus près la construction mais mourut en 1926, écrasé par un tramway, avant d'avoir pu terminer son œuvre. Les travaux en cours respectent le projet initial. Une fois terminée (vers 2026), la cathédrale devrait dépasser toutes les dimensions connues.

La cathédrale d'Évry, en France

Bâtie entre 1992 et 1995, elle peut accueillir 1 200 fidèles. Toute ronde (dans la religion chrétienne, le rond est le symbole du rassemblement), ses murs de béton sont habillés de 840 000 briques. Quant à son toit, il est couronné de 24 tilleuls qui évoquent les heures du jour et symbolisent la vie ainsi que la résurrection car ils semblent renaître à chaque printemps. Son intérieur est éclairé par des vitraux et par de grandes vitres sur le toit.

TABLE DES MATIÈRES

ISBN 10 : 2.215.08457.X
ISBN 13 : 978. 2.215.08457.0
© Éditions FLEURUS, 2006.
Dépôt légal à la date de parution.
Conforme à la loi n°49-956 du 16 juillet 1949
sur les publications destinées à la jeunesse.
Imprimé en Italie (08-06)

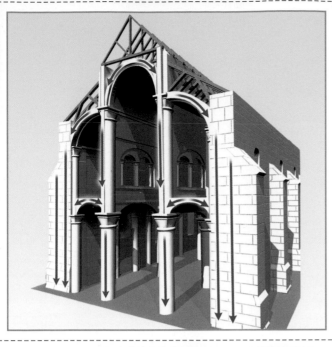

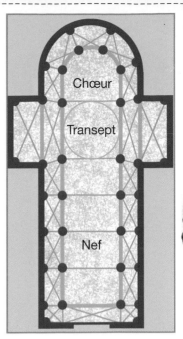

Chœur

Transept

Nef

Le plan d'une église ou d'une cathédrale a la forme d'une croix qui symbolise la crucifixion du Christ.

Les rosaces sont des vitraux assemblés en forme de cercle appelés, à l'époque, des roues.

L'architecture romane se caractérise par l'utilisation de la voûte en pierre arrondie nécessitant des murs épais.

La cathédrale de Pise, en Italie, est considérée comme un chef-d'œuvre de l'art roman italien.

À l'époque des cathédrales, le maître d'œuvre est le nom que l'on donne à l'architecte.

La cathédrale gothique se reconnaît à sa silhouette élancée et ses grandes ouvertures qui la différencient des cathédrales romanes.

Autrefois, les façades des cathédrales étaient peintes. Des peintres imagiers mettaient en couleurs les sculptures.